1580242819

中华人民共和国国家标准

固相缩聚工厂设计规范

Code for design of solid-state polycondensation plant

GB 51115-2015

主编部门：中 国 纺 织 工 业 联 合 会
批准部门：中华人民共和国住房和城乡建设部
施行日期：２０１６ 年 ５ 月 １ 日

中国计划出版社

2015 北 京

中华人民共和国国家标准
固相缩聚工厂设计规范
GB 51115-2015
☆
中国计划出版社出版
网址：www.jhpress.com
地址：北京市西城区木樨地北里甲11号国宏大厦C座3层
邮政编码：100038 电话：（010）63906433（发行部）
新华书店北京发行所发行
三河富华印刷包装有限公司印刷

850mm×1168mm 1/32 2.625印张 64千字
2016年1月第1版 2016年1月第1次印刷
☆
统一书号：1580242·819
定价：16.00元

版权所有 侵权必究
侵权举报电话：（010）63906404
如有印装质量问题，请寄本社出版部调换

中华人民共和国住房和城乡建设部公告

第891号

住房城乡建设部关于发布国家标准《固相缩聚工厂设计规范》的公告

现批准《固相缩聚工厂设计规范》为国家标准,编号为GB 51115—2015,自2016年5月1日起实施。其中,第3.1.16、7.7.10、8.5.2条为强制性条文,必须严格执行。

本规范由我部标准定额研究所组织中国计划出版社出版发行。

中华人民共和国住房和城乡建设部
2015年8月27日

前　言

本规范是根据住房城乡建设部《关于印发〈2010 年工程建设标准规范制订、修订计划〉的通知》（建标〔2010〕43 号）的要求，由上海纺织建筑设计研究院会同有关单位共同编制完成的。

本规范在编制过程中，编制组对国内主要聚酯固相缩聚工厂进行了调查研究，认真总结了已建工厂的实践经验，吸收了国内外设计中的技术成果，在广泛征求有关固相缩聚工厂设计、生产、设备制造等方面专家意见的基础上，最后经审查定稿。

本规范共分 13 章，主要技术内容包括：总则，术语和代号，工艺设计，工艺设备和布置，管道设计，辅助生产设施，自动控制和仪表，电气，总平面布置，建筑、结构，给水排水，采暖、通风和空气调节，动力。

本规范中以黑体字标志的条文为强制性条文，必须严格执行。

本规范由住房城乡建设部负责管理和对强制性条文的解释，由中国纺织工业联合会负责日常管理，由上海纺织建筑设计研究院负责具体技术内容的解释。本规范在执行过程中，如发现有需要修改和补充之处，请将意见或有关资料寄送上海纺织建筑设计研究院（地址：上海市长寿路 130 号，邮政编码：200060，传真：021－62983065），以供今后修订时参考。

本规范主编单位、参编单位、参加单位、主要起草人和主要审查人：

主 编 单 位：上海纺织建筑设计研究院
参 编 单 位：中国纺织勘察设计协会
　　　　　　中国纺织工业设计院
　　　　　　大连合成纤维研究设计院股份有限公司

参 加 单 位：扬州天浩化工技术有限公司
郑州中远干燥技术有限公司
上海温龙化纤有限公司
主要起草人：陈福生　荣季明　罗伟国　陈　钢　尹振文
毛超英　武跃英　秦永安　崇　杰　李宏儒
董志远　梅兵波　邱建勋
主要审查人：杨开泉　刘承彬　王鸣义　许其军　方　跃
尤世怀　张伍山　刘　凤　张爱祥　厚炳煦
曹志敏　谢建强　付恒岩　房万兰

目　　次

1 总　　则 …………………………………………… (1)
2 术语和代号 ………………………………………… (2)
　2.1 术语 ……………………………………………… (2)
　2.2 代号 ……………………………………………… (2)
3 工艺设计 …………………………………………… (4)
　3.1 一般规定 ………………………………………… (4)
　3.2 工艺流程选择 …………………………………… (5)
　3.3 工艺计算 ………………………………………… (6)
　3.4 节能 ……………………………………………… (7)
　3.5 危险和危害因素 ………………………………… (7)
4 工艺设备和布置 …………………………………… (9)
　4.1 一般规定 ………………………………………… (9)
　4.2 设备选择 ………………………………………… (9)
　4.3 设备备台 ………………………………………… (10)
　4.4 设备布置 ………………………………………… (10)
5 管道设计 …………………………………………… (12)
　5.1 一般规定 ………………………………………… (12)
　5.2 管道布置 ………………………………………… (12)
　5.3 管道材质选择 …………………………………… (13)
　5.4 特殊管道设计 …………………………………… (14)
　5.5 管道安装及检验要求 …………………………… (15)
6 辅助生产设施 ……………………………………… (16)
　6.1 化验室 …………………………………………… (16)
　6.2 热媒站(间) ……………………………………… (16)

6.3 原料库和成品库	(17)
6.4 维修间	(17)
7 自动控制和仪表	(18)
7.1 一般规定	(18)
7.2 控制水平	(18)
7.3 主要控制方案	(18)
7.4 特殊仪表选型	(19)
7.5 控制系统配置	(19)
7.6 控制室	(20)
7.7 仪表安全措施	(20)
8 电 气	(22)
8.1 一般规定	(22)
8.2 供配电	(22)
8.3 照明	(23)
8.4 防雷	(23)
8.5 接地	(24)
8.6 火灾报警	(24)
9 总平面布置	(25)
9.1 一般规定	(25)
9.2 总平面布置	(25)
9.3 竖向布置	(26)
10 建筑、结构	(27)
10.1 一般规定	(27)
10.2 生产厂房	(27)
10.3 生产厂房附房	(28)
10.4 厂区工程	(28)
10.5 建筑防火	(29)
11 给水排水	(30)
11.1 一般规定	(30)

11.2 给水	(30)
11.3 排水	(31)
11.4 消防设施	(31)
12 采暖、通风和空气调节	(32)
12.1 一般规定	(32)
12.2 采暖	(32)
12.3 通风	(32)
12.4 空气调节	(33)
13 动　　力	(34)
13.1 一般规定	(34)
13.2 制冷	(34)
13.3 供热	(34)
13.4 压缩空气	(35)
13.5 氮气	(35)
本规范用词说明	(36)
引用标准名录	(37)
附：条文说明	(39)

Contents

1 General provisions ··· (1)
2 Terms and symbols ··· (2)
　2.1 Terms ·· (2)
　2.2 Symbols ··· (2)
3 Process design ·· (4)
　3.1 General requirements ·· (4)
　3.2 Process choice ·· (5)
　3.3 Process calculation ·· (6)
　3.4 Energy saving ·· (7)
　3.5 Risk and hazard factors ····································· (7)
4 Process equipment and arrangement ······················· (9)
　4.1 General requirements ·· (9)
　4.2 Principles of selecting equipment ······················· (9)
　4.3 Principles of equipment for standby ··················· (10)
　4.4 Principles of equipment arrangement ················· (10)
5 Process piping design ·· (12)
　5.1 General requirements ······································ (12)
　5.2 Principles of piping arrangement ······················· (12)
　5.3 Selection of pipe materials ······························· (13)
　5.4 Design of special pipes ···································· (14)
　5.5 Piping installation and inspection requirement ··············· (15)
6 Auxiliary production facilities ······························· (16)
　6.1 Chemical laboratory ·· (16)
　6.2 HTM station ··· (16)

6.3　Storehouse　(17)

6.4　Maintenance room　(17)

7　Automatic control and instrument　(18)

　7.1　General requirements　(18)

　7.2　Control level　(18)

　7.3　Main control scheme　(18)

　7.4　Special instrument selection　(19)

　7.5　Control system configuration　(19)

　7.6　Control room　(20)

　7.7　Instrument safty policy　(20)

8　Electrical　(22)

　8.1　General requirements　(22)

　8.2　Electric power supply and distribution　(22)

　8.3　Lighting　(23)

　8.4　Lightning protection　(23)

　8.5　Grounding　(24)

　8.6　Fire alarming　(24)

9　General layout　(25)

　9.1　General requirements　(25)

　9.2　General layout　(25)

　9.3　Vertical layout　(26)

10　Architecture and structure　(27)

　10.1　General requirements　(27)

　10.2　Production buildings　(27)

　10.3　Side rooms of production building　(28)

　10.4　Factory area project　(28)

　10.5　Fire protection of building　(29)

11　Water supply and drainage　(30)

　11.1　General requirements　(30)

11.2 Water supply (30)
11.3 Drainage (31)
11.4 Fire-protection service (31)
12 Heating, ventilation and air-conditioning (32)
12.1 General requirements (32)
12.2 Heating (32)
12.3 Ventilation (32)
12.4 Air-conditioning (33)
13 Power (34)
13.1 General requirements (34)
13.2 Refrigeration (34)
13.3 Heat supply (34)
13.4 Compressed air (35)
13.5 Nitrogen (35)
Explanation of wording in this code (36)
List of quoted standards (37)
Addition: Explanation of provisions (39)

1 总 则

1.0.1 为了统一固相缩聚工厂或固相缩聚装置在工程设计中的技术要求，做到技术先进、经济合理、安全可靠、环境保护、节能减排，制定本规范。

1.0.2 本规范适用于以无定形聚酯(PET)基础切片为原料，通过固相缩聚装置，达到提高切片特性黏度，以满足生产聚酯瓶、薄膜、工业丝、片基、工程塑料等不同工艺要求的固相缩聚工厂或固相缩聚装置的新建、扩建和改建工程的设计。

1.0.3 固相缩聚工厂的工程设计，应积极采用清洁生产技术，严格控制消耗，提高资源、能源利用率。

1.0.4 固相缩聚工厂或固相缩聚装置的设计，除应符合本规范外，尚应符合国家现行有关标准的规定。

2 术语和代号

2.1 术　语

2.0.1 固相缩聚工厂　solid-state polycondensation plant

以无定型形态或极低结晶度的聚合物切片为原料，在固体状态下通过缩聚反应生产高分子量聚合物的加工厂。

2.0.2 连续固相缩聚　continuous solid-state polycondensation

将聚合物切片连续加入反应器，反应后聚合物黏度增高，并连续移出的聚合工艺。

2.0.3 间歇固相缩聚　batch solid-state polycondensation

聚合物切片分批投入反应器，分批进行缩聚反应，分批出料的生产工艺。

2.0.4 无定型基础切片　amorphous polymer basic chip

指聚合物内部不呈现结晶结构区域的切片。在工业生产中，通常指结晶度较低的聚合物切片，简称基础切片。

2.0.5 循环气体净化　circulation gas purifying

固相缩聚生产过程中，加热系统的循环气流通过采用催化氧化、喷淋、吸附等方法来处理和净化循环气流中有机杂质，降低其含量的过程。

2.2 代　号

　　CO——一氧化碳(carbon monoxide)；
　　CPU——中央处理器(central processing unit)；
　　DCS——分散型控制系统(distributed control system)；
　　EG——乙二醇(ethylene glycol)；

PET——聚对苯二甲酸乙二醇酯(polyethylene terephthalate);
MCC——马达控制中心(motor control center);
SSP——固相缩聚(solid-state polycondensation)。

3 工 艺 设 计

3.1 一 般 规 定

3.1.1 固相缩聚工厂的工艺设计范围应符合下列规定：
    1 连续固相缩聚装置的工艺设计宜符合下列规定：
        1）上游有聚酯装置的联合工厂，宜从原料聚酯基础切片送料系统末端的切片接受槽开始，宜包括切片接受、预结晶、结晶、预热、反应、冷却除尘、产品输送及储存（包装），以及辅助单元的氮气循环处理系统和热媒循环加热系统；
        2）外购聚酯基础切片的工厂，宜从基础切片包装袋或槽车卸料开始，宜包括切片接受、振动筛分检、金属检测、切片输送、预结晶、结晶、预热、反应、冷却除尘、产品输送及储存（包装），以及辅助单元的氮气循环处理系统和热媒循环加热系统。
    2 间歇固相缩聚装置宜从原料聚酯基础切片包装袋或槽车卸料开始，宜包括切片接受、振动筛分检、金属检测、称量（非直接投料装置采用）、真空反应器、产品输送及储存（包装），以及辅助单元的真空系统和加热系统。

3.1.2 工艺设计应以物料平衡和热量平衡为依据。

3.1.3 固相缩聚工厂的设计能力应以100%负荷的产品切片产量为计算依据，并应以"t/d"作为单位表示。

3.1.4 固相缩聚装置设计生产能力的操作弹性宜为50%～110%。

3.1.5 固相缩聚工厂的设计年生产天数宜按350d(8400h)计算。

3.1.6 固相缩聚工厂应设置化验室，并宜与厂区上游的聚酯装置或下游的加工装置合并设置。

3.1.7 热媒站应单独设置。当上游设置有聚酯装置的固相缩聚工厂,热媒站宜与聚酯装置合并设置;当下游设置有涤纶工业丝装置的固相缩聚工厂,热媒站宜各自单独设置。

3.1.8 与聚合物切片和循环氮气直接接触的设备和管道,应采用不锈钢材质。

3.1.9 连续固相缩聚装置宜设置货运电梯。

3.1.10 固相缩聚装置中无防雨设施的钢平台和钢梯,应采取防滑和防锈处理。

3.1.11 固相缩聚装置的绝热措施或防护结构,应能防止雨水或寒冷气流对系统的影响。

3.1.12 设备和管道系统设置安全阀,应符合现行国家标准《石油化工企业设计防火规范》GB 50160 和《工业金属管道设计规范》GB 50316 的相关规定。

3.1.13 连续固相缩聚装置的循环气体风机应采取减振措施。

3.1.14 采用导热油加热系统的导热油温度偏差应控制在±1℃以内。

3.1.15 固相缩聚热媒加热循环系统应设置高位膨胀槽。

3.1.16 固相缩聚装置反应尾气必须经过处理且符合国家排放标准后再排放。

3.1.17 固相缩聚装置应设置将设备和管道内的热媒紧急排放的接受设施。

3.1.18 固相缩聚装置中的循环氮气纯化后的氧含量不宜大于20ppm,CO 含量不宜大于 50ppm,压力露点不宜高于-40℃。

3.2 工艺流程选择

3.2.1 工艺流程应根据生产规模、产品方案、产品质量要求确定。

3.2.2 常规产品的生产应采用连续式工艺流程。

3.2.3 小批量或特殊规格产品的生产可采用间歇式工艺流程。

3.2.4 固相缩聚装置与涤纶工业丝生产配套时,离开固相缩聚装置的切片表面温度宜低于130℃,并应采用切片气流系统输送到涤纶工业丝装置;需包装的切片应冷却到60℃以下。

3.2.5 固相缩聚装置的预结晶器或结晶器前,宜设置切片粉尘脱除设施。

3.2.6 固相缩聚装置内的热循环氮气系统,应设置氧分析仪、露点仪和CO分析仪或EG分析仪。

3.2.7 连续固相缩聚装置的热媒加热方式应根据热负荷大小确定,可采用燃气、燃油、燃煤或电加热等方式。

3.2.8 间歇固相缩聚装置真空转鼓的热媒加热系统宜采用电加热。

3.2.9 氮气循环系统的纯化工艺应采用催化氧化工艺。

3.2.10 厂区工程的氮气供应宜采用粗氮形式提供,固相缩聚装置开车使用的纯氮宜采用液氮气化工艺,不宜采用氨分解制氢除氧的纯化工艺。

3.2.11 对于采用螺旋推进式结晶器、预热器或带搅拌式结晶器,以及反应器带旋转刮板出料器的固相缩聚装置,反应器出料的切片应经过冷却除尘器后再输送到下游料仓,且氮气循环系统应设置除尘器。

3.2.12 用于工业丝的固相缩聚装置出料切片,宜采用氮气闭路循环输送系统。

3.2.13 下游配置有工业丝的固相缩聚装置,固相缩聚装置的出料系统应设置金属检测器。

3.3 工艺计算

3.3.1 固相缩聚装置的热量衡算应以装置的设计生产能力为基准。

3.3.2 热媒加热设备的能力应根据工艺参数和装置最大生产能力计算确定。

3.3.3 常规聚酯切片固相缩聚产品对基础切片(干基)消耗,不应超过1003kg/t产品。

3.3.4 管道的管径和阻力降,宜按现行行业标准《石油化工企业工艺装置管径选择导则》SH/T 3035的相关规定进行计算和选择。

3.3.5 固相缩聚装置中下列管道应进行应力计算:

1 温度大于或等于200℃、管径大于或等于DN65的热媒管道;

2 加热切片的热空气和循环热氮气管道;

3 温度大于或等于100℃的设备之间的连接管道。

3.4 节　　能

3.4.1 工艺设备应选用性能良好的节能型产品,所配电机应选用高效电机。

3.4.2 热氮气循环系统中应设置氮气换热器或节能器。

3.4.3 高温和低温的设备及管道,应采取保温、保冷措施,并应符合现行国家标准《工业设备及管道绝热工程设计规范》GB 50264的有关规定。

3.4.4 从原料投放到成品包装各单元的设备布置,应减少物料的运输或输送距离。

3.4.5 氮气循环风机和旋转阀应采用变频调速。

3.4.6 主要能源供给设施应靠近负荷中心。

3.4.7 采用电加热方式时,宜采用电感加热方式。

3.5 危险和危害因素

3.5.1 固相缩聚生产装置内的火灾危险性应为丙类。

3.5.2 氢气瓶放置间的火灾危险性应为甲类。与固相缩聚装置外墙毗连的实瓶数不超过60瓶的单层氢气瓶放置间的设置,应符合现行国家标准《氢气站设计规范》GB 50177中有关供氢站的规定。

3.5.3 固相缩聚工厂主要物料的火灾危险性的划分,应符合下列规定:

　　1 乙二醇应划为丙类可燃液体;

　　2 联苯和联苯醚混合物应划为丙类可燃液体;

　　3 氢化三联苯应划为丙类可燃液体;

　　4 PET切片应划为丙类可燃固体;

　　5 操作温度低于其闪点的燃料油,应划为丙类可燃液体,操作温度高于其闪点的燃料油,应划为乙类可燃液体;

　　6 乙醛含量超过其爆炸下限的工艺排放尾气,应划为甲类可燃气体。

3.5.4 主要物料的毒性分级应符合表3.5.4的规定。

表3.5.4 主要物料的毒性分级

序号	物料名称	毒性分级
1	乙二醇	Ⅳ级
2	氢化三联苯、联苯和联苯醚	Ⅳ级
3	氮气	Ⅲ级
4	一氧化碳	Ⅲ级
5	PET粉尘	Ⅳ级
6	乙醛	Ⅳ级

4 工艺设备和布置

4.1 一般规定

4.1.1 设计中所选用的设备应与生产规模相适应,并应适应产品品种质量的要求。

4.1.2 选用设备应符合降低原材料、水、电、气、汽消耗和环境保护的原则。

4.1.3 选用的工艺设备应安全可靠,所选设备应经过鉴定或通过生产实践考验,不应选用不成熟或未经生产检验的设备。

4.1.4 改建项目应根据现有车间的柱间距、楼层层高、结构荷载等情况进行工程设计和设备选型及布置,且应符合安全、生产要求。

4.2 设备选择

4.2.1 预结晶器和结晶器可采用流化床式或螺旋推进式;冷却除尘器宜采用流化床式。

4.2.2 生产瓶片的固相缩聚装置应采用两级结晶器。

4.2.3 用于生产工业丝、薄膜、片基、工程塑料切片的固相缩聚装置,应根据产品要求确定,可采用一级结晶器或两级结晶器。

4.2.4 反应器结构形式应有利于减轻产生跳动静态影响和动态架桥现象而引起的振动。

4.2.5 采用卧式结晶器或预热器时,设备结构应带防切片返混装置。

4.2.6 反应器内壁和真空转鼓内壁应进行抛光处理,表面粗糙度不应大于Ra3.2,且应无死区。

4.2.7 输送导热油宜选用屏蔽泵或磁力泵。

4.2.8 切片包装宜按生产品种和规模采用半自动包装线或全自动包装线。

4.2.9 成品切片料仓宜带混料装置。

4.2.10 连续固相缩聚装置的反应器宜带称重系统。

4.2.11 生产高黏度薄膜级切片可采用间歇固相缩聚装置。

4.2.12 间歇固相缩聚装置的真空转鼓内壁上应带刮板,且真空转鼓内抽吸风口应保持在切片料位上方。

4.2.13 采用从其他基础切片料仓气流输送供料方式的间歇固相缩聚装置,喂料槽应设置称重系统。

4.2.14 连续固相缩聚反应器的出料段应配置均匀出料装置。

4.2.15 预热器和反应器的下端进风口设计时,应保证切片受热均匀。

4.2.16 换热器应有换热余量。

4.3 设备备台

4.3.1 切片料仓区应设置不合格品料仓。

4.3.2 热媒输送泵应采用一用一备或多用一备。

4.3.3 每套固相缩聚装置宜离线备一台旋转送料阀。

4.3.4 循环热氮气罗茨风机和输送切片螺杆压缩机或罗茨风机,宜设置备台。

4.4 设备布置

4.4.1 固相缩聚装置布置应靠近上游聚合装置和(或)下游加工装置。

4.4.2 设备布置应符合适当集中、合理层高、减少能耗、易于安装、方便操作、巡检和维护的原则。

4.4.3 固相缩聚装置各工序设备布置应利用物料的重力差。

4.4.4 生产瓶片的 SSP 装置的布置应符合下列规定:

  1 单套生产能力大于或等于 300t/d 的固相缩聚装置,宜采用从切片接收料仓到结晶器、固相缩聚反应器到成品输送系统的两段式垂直布置；

2 单套生产能力小于300t/d的固相缩聚装置，宜采用从切片接收料仓到成品输送系统的一段式垂直布置。

4.4.5 生产工业丝用或工程塑料用的SSP装置的布置，应符合下列规定：

1 单套生产能力大于或等于80t/d的固相缩聚装置，宜采用从切片接收料仓到结晶器、固相缩聚反应器到成品输送系统的两段式垂直布置；

2 单套生产能力小于80t/d的固相缩聚装置，宜采用从切片接收料仓到成品输送系统的一段式垂直布置。

4.4.6 有固相缩聚切片外销的工厂，切片产品料仓及包装机应靠近固相缩聚装置布置。

4.4.7 设备布置应留有检修通道和安全疏散通道。

4.4.8 热媒加热设备和输送泵应布置在通风良好处，并应靠近固相缩聚装置的相应被加热设备。

4.4.9 噪声较高的风机或压缩机宜单独布置在隔音的房间内，并应采取减噪措施，也可采用风机或压缩机自带隔音罩的措施。

4.4.10 反应器应靠近结构主梁及外侧框架布置。

4.4.11 蒸汽加热器、水冷却器等用水单元不应设置在仪表、电气控制室、变压器室等电仪设备用房的正上方。

4.4.12 设备布置应保证设备之间、设备与建筑物（构筑物）之间的间距和净空高度，且应满足设备的操作、安装和检修要求。

5 管 道 设 计

5.1 一 般 规 定

5.1.1 管道设计应符合工艺管道和仪表流程图(P&ID)以及管道规格书的要求。

5.1.2 管道设计应符合现行国家标准《工业金属管道设计规范》GB 50316 的有关规定。

5.1.3 高温管道的柔性设计应符合现行国家标准《聚酯工厂设计规范》GB 50492 的有关规定。

5.1.4 金属内压直管的壁厚应符合现行行业标准《石油化工管道设计器材选用规范》SH/T 3059 的有关规定。

5.1.5 在热媒管道系统的每个最高点应设置排气管,最低点应设置排净管。

5.1.6 工艺管道坡度的设计应符合下列规定:

1 液相热媒低排管道的顺坡坡度不宜小于1%;
2 物料输送管道的坡度应符合工艺要求;
3 废水管道顺坡坡度不宜小于0.5%;
4 蒸汽凝结水管道的逆坡坡度不宜小于0.5%。

5.1.7 设计文件应规定管道及其组成件的制作和检验要求。

5.2 管 道 布 置

5.2.1 生产车间内工艺管道和其他专业的管道、线槽应进行统筹规划,并应合理安排其空间位置和走向。

5.2.2 生产车间内管道应集中布置,并应便于安装和维修,管道的法兰和焊点的位置不应设置在电机、电气柜和仪表盘的正上方。

5.2.3 高温热媒管道不应与仪表及电气的电缆线槽相邻敷设。

如需相邻敷设时,平行净距离不宜小于1m;当管道采用焊接且无阀门时,平行净距离不宜小于0.5m;交叉净距离不应小于0.5m。

5.2.4 进入生产车间的各类公用工程管道总管上设置的计量仪表和阀门,安装位置应相对集中,且应便于检查、操作、维护。

5.2.5 管道布置应做到整齐、美观,管道支吊架设计应牢固、合理。除应满足正常生产外,还应满足安装、吹扫、试压和开车、停车、事故处理,以及分区检修时的要求。

5.2.6 管道布置不宜出现垂直方向的U形管道。

5.2.7 管道布置不应妨碍设备、机泵,以及电气、仪表的安装和检修。

5.2.8 室内管道除给排水管道外,应采用架空或地上布置。

5.2.9 室内管道布置不应穿过配电室、控制室。

5.2.10 在结晶器出口管道上、预热器出口管道上和反应器出口管道上应设置取样器。取样器的位置应便于操作和取样。

5.2.11 厂区管线设计应结合公用工程站(房)设计位置布置。

5.3 管道材质选择

5.3.1 热媒输送管道材质应选用符合现行国家标准《输送流体用无缝钢管》GB/T 8163中的20#无缝钢管。

5.3.2 厂区内输送设计压力小于或等于1.6MPa,且设计温度在0℃~200℃的循环冷却水、工艺压缩空气、仪表压缩空气、氮气、低压蒸汽的管道,可选用现行国家标准《低压流体输送用焊接钢管》GB/T 3091中材质为Q235的焊接钢管。

5.3.3 车间内仪表压缩空气管道、氮气管道可选用现行国家标准《流体输送用不锈钢焊接钢管》GB/T 12771中材质为S30408的焊接不锈钢管。

5.3.4 软化水、除盐水和工艺废水的管道可选用现行国家标准《流体输送用不锈钢焊接钢管》GB/T 12771中材质为S30408的焊接不锈钢管。

5.3.5 聚酯切片输送管道应选用现行国家标准《流体输送用不锈钢无缝钢管》GB/T14976中材质为S30408的无缝不锈钢管。

5.4 特殊管道设计

5.4.1 聚酯切片输送管道应采取静电接地措施，法兰间应采用铜线跨接，其管道弯头的曲率半径不应小于管径的5倍。管道连接处应严密，内壁应平滑，法兰、垫片应无错位。

5.4.2 自重下料的聚酯切片管道与垂直方向的夹角不应大于45°。

5.4.3 SSP装置内与设备相连接的温度高于或等于100℃的氮气管道和热切片管道，应在设备进口和出口处设置金属波纹管膨胀节。

5.4.4 热媒管道应采用波纹管密封阀门。

5.4.5 热媒管道除需设置法兰处外，应采用焊接方式连接，在通过通道和设备等上空时，不应有焊接点。

5.4.6 与热媒循环泵连接、温度高于或等于200℃、管径大于或等于DN65的热媒管道应进行应力计算，并应利用管道走向的自然补偿。

5.4.7 经应力计算需设膨胀节的管道，固定、导向、限位支架的设置应符合膨胀节的特性及使用要求。

5.4.8 切片输送管道上采用的波纹膨胀节应采用带内导流筒式的膨胀节。

5.4.9 氢气管道应接到防雷电感应接地装置上，其管道上的法兰、阀门等连接处应采用金属线跨接。

5.4.10 膨胀节的安装图应标明膨胀节的型式、重量、连接尺寸、介质名称和使用温度、压力、吸收位移量及方向等技术参数。

5.4.11 设计选用的膨胀节应符合现行国家标准《金属波纹管膨胀节通用技术条件》GB/T 12777的有关规定。

5.4.12 特殊管件的制作和安装应满足设计要求。

5.5 管道安装及检验要求

5.5.1 金属管道的安装及检验,应符合现行国家标准《工业金属管道工程施工规范》GB 50235、《现场设备、工业管道焊接工程施工规范》GB 50236、《工业金属管道工程施工质量验收规范》GB 50184 和《现场设备、工业管道焊接工程施工质量验收规范》GB 50683 的有关规定。

5.5.2 热媒管道的焊缝应进行不低于 10% 的射线探伤检验,Ⅱ级应为合格。

5.5.3 管道的射线探伤检验应符合现行国家标准《金属熔化焊焊接接头射线照相》GB/T 3323 的有关规定。

5.5.4 管道及绝热保护层的表面涂漆颜色和标志,可按现行国家标准《工业管道的基本识别色、识别符号和安全标识》GB 7231 的有关规定执行。

5.5.5 管道安装前应对管材、管件、阀门按规定进行检验,并应在检验合格后再安装。

5.5.6 热媒管道检验应符合下列规定:
    1 安装完毕并经射线探伤检验合格后,应进行压力试验;
    2 设计压力小于或等于 0.6MPa 的热媒管道,可采用压缩空气为介质进行压力试验,试验压力应为设计压力的 1.15 倍,且应采取安全措施;
    3 热媒管道在压力试验合格后,应进行泄漏性试验,介质可为空气,试验压力应为设计压力;
    4 经气压试验合格,在试验后未经拆卸的管道,可不进行泄漏性试验。

5.5.7 管道的着色检验应符合现行行业标准《承压设备无损检测》NB/T 47013 的有关规定。

5.5.8 热媒管道焊接应先用氩弧焊打底,且应符合现行国家标准《工业金属管道工程施工规范》GB 50235 的有关规定。

6 辅助生产设施

6.1 化 验 室

6.1.1 车间化验室宜设在有外墙并避免阳光直接照射的车间附房内,并应远离空调间、变电所、热力站等设施。

6.1.2 化验室宜进行功能分区布置,天平室和烘箱间应设置在不同房间。

6.1.3 天平室应布置在不受外界气流干扰的房间内。

6.1.4 化验室内应设置通风柜,并应布置在靠墙或房间拐角处。

6.1.5 化验室的化验台宜采用中央岛式化验台,中央岛式化验台宜与有窗外墙垂直布置。

6.1.6 瓶级聚酯切片的质量指标和检测方法,应符合现行国家标准《瓶用聚对苯二甲酸乙二醇酯(PET)树脂》GB 17931 的有关规定。

6.1.7 工业丝级聚酯切片的质量指标和检测方法,应符合现行国家标准《纤维级聚酯切片(PET)试验方法》GB/T 14190 的有关规定。

6.1.8 再生聚酯瓶片的质量指标和检测方法,应符合现行行业标准《再生聚酯(PET)瓶片》FZ/T 51008 的有关规定。

6.1.9 食品包装用(PET)切片的卫生要求,应符合现行国家标准《食品容器及包装材料用聚对苯二甲酸乙二醇酯树脂卫生标准》GB 13114 的有关规定。

6.2 热媒站(间)

6.2.1 热媒收集间设置应符合下列规定:

　　1 SSP 装置应单独设置热媒收集间和热媒收集槽;

2 热媒收集槽容积应大于装置内设备和管道内最高温度时的热媒总容积的1.2倍；

3 热媒收集槽应布置在车间一层的附房内或热媒系统的最低位置，并应有对外的通风条件。

6.2.2 热媒炉设置应符合现行国家标准《有机热载体炉》GB/T 17410 的有关规定。

6.2.3 热媒收集槽的排气管线上应设置冷却器和阻火器。

6.3 原料库和成品库

6.3.1 SSP 工厂应设置原料库、成品库、备品备件库。

6.3.2 仓库布置宜靠近主生产装置，且应方便运输。

6.3.3 仓库设计应符合现行国家标准《纺织工程设计防火规范》GB 50565 的有关规定。

6.3.4 瓶片包装间应单独布置，并应采取防尘和防蚊虫的措施。

6.4 维 修 间

6.4.1 SSP 工厂宜设置小型维修设施。

6.4.2 SSP 工厂的机修、仪修和电修，宜按中、小修配置人员和设备，也可根据邻近区域的协作条件进行外协。

6.4.3 与上游聚酯装置或下游加工装置合建的固相缩聚工厂，机修、仪修和电修人员和设备应统一配置。

7 自动控制和仪表

7.1 一般规定

7.1.1 自控设计应符合安全可靠、经济合理、技术先进、操作维护方便的原则。

7.1.2 现场仪表及控制系统选型,应根据工艺装置的规模、流程特点、操作控制要求等因素确定。

7.1.3 仪表选型应减少仪表品种、规格。

7.1.4 爆炸和火灾危险场所的自控设计,应符合现行国家标准《爆炸危险环境电力装置设计规范》GB 50058 的有关规定。

7.2 控制水平

7.2.1 固相缩聚生产装置可采用过程控制系统进行集中监视、控制和管理。

7.2.2 氮气系统的氧化、吸附、再生等成套设备宜随机配带控制单元,且应将信号传送引入过程控制系统进行显示、跟踪和报警。

7.2.3 转动设备的运行状态、故障报警,应引入过程控制系统显示、报警和控制。

7.3 主要控制方案

7.3.1 预热器和固相缩聚反应器氮气进风流量控制,应采用调节阀和变频调速风机。

7.3.2 从结晶器、预热器到反应器的料位,宜通过回转阀采用逆向控制。

7.3.3 进入固相缩聚反应器的氮气系统,应安装在线氧含量分析仪表、一氧化碳含量分析仪表和露点检测仪表。

7.3.4 成品切片输送风机出口应设置压力高限报警,并应联锁停止回转阀出料。

7.4 特殊仪表选型

7.4.1 选型原则应符合下列规定:
    1 仪表接触工艺介质部分的材质等级应高于或等于工艺要求的材质等级;
    2 应根据被测介质的危险程度和使用环境条件,选择外壳材质及防护等级。

7.4.2 结晶器空气流量测量、预热器和固相缩聚反应器氮气流量测量,宜选用匀速管流量计。

7.4.3 料仓的料位开关宜采用音叉式,预热器和固相缩聚反应器的料位开关应采用耐高温型。

7.4.4 热媒介质的控制阀应选用波纹管密封气动薄膜调节阀。

7.5 控制系统配置

7.5.1 过程控制系统操作站的数量应根据监控回路数量配置。当操作站不具备组态、编程功能时,还应配1台工程师站。控制站应根据I/O点数配置,且每条线操作站不应少于2台。

7.5.2 控制站中央处理器(CPU)、电源模块、通信总线、重要模拟控制回路的I/O卡,均应1:1冗余配置。

7.5.3 I/O通道宜留有实际设计点数的10%～15%备用,各种机柜宜留有10%～15%备用空间,系统的电源、通信容量应能满足备用要求。

7.5.4 控制站的负荷应低于额定能力的75%,系统通信负荷应低于额定能力的60%。

7.5.5 1min采样周期的历史数据存储时间不应少于7d。

7.5.6 最短的系统实时数据采样周期不应大于0.5s。

7.6 控制室

7.6.1 生产装置控制室应包括操作室、机柜室和马达控制中心，机柜室和动力控制中心不宜布置在同一房间。

7.6.2 控制室应设置在非爆炸危险的安全区域内。

7.6.3 操作站的显示屏应避免室外光线直接照射，操作台与墙的距离应大于1.2m。

7.6.4 背开门的机柜与墙的净距离不应小于1.5m，两列前后开门的机柜间净距离不应小于2.0m。机柜布置应保证机柜间电缆交叉最少、电缆走向合理，且距离最短。

7.6.5 控制室的设置宜按现行行业标准《石油化工生产建筑设计规范》SH/T 3017的有关规定执行。控制室宜采用防静电架空地板，活动地板下的基础地面宜为防尘地面，架空高度宜为300mm～500mm，操作室可采用易清洁地面或架空地板。

7.6.6 控制室的架空地板下宜设置不带盖板的电缆托盘。

7.7 仪表安全措施

7.7.1 在有爆炸性危险环境内使用的电动仪表，应选用满足使用场所要求的防爆型仪表。

7.7.2 各种现场仪表开关、报警接点应为正常生产时闭合，故障或报警时断开。

7.7.3 联锁电磁阀应为正常时得电、联锁时失电。

7.7.4 重要的安全联锁应采用硬接线联锁。

7.7.5 控制系统的冗余通信电缆敷设时，应采用不同的敷设路径。

7.7.6 电缆应按信号种类分开敷设，本安与非本安信号电缆在同一电缆槽中敷设时，应采用金属隔板分开。

7.7.7 仪表信号电缆应采用屏蔽对绞电缆，开关接点信号电缆可采用总屏蔽电缆。

7.7.8 检测、控制回路的线芯截面应满足线路阻抗和线路机械强度的要求。三芯及以下电缆,每芯截面宜为 $1.0mm^2 \sim 1.5mm^2$。四芯及以上电缆,每芯截面不应小于 $0.75mm^2$。24VDC 电源电缆,每芯截面不应小于 $2.5mm^2$。

7.7.9 仪表及控制系统的接地应符合现行行业标准《仪表系统接地设计规定》HG/T 20513 的有关规定。

7.7.10 氢气瓶放置间必须设置氢气浓度检测报警器。

8 电 气

8.1 一 般 规 定

8.1.1 电气设计应符合供配电可靠、技术先进、经济合理、操作维护方便等原则。

8.1.2 电气设计应根据负荷性质、用电容量、环境条件、地区供电条件和节约电能等因素,统筹兼顾,合理布局。

8.1.3 固相缩聚工厂电气设计应采用高效、低耗、性能先进的电气产品。

8.2 供 配 电

8.2.1 固相缩聚工厂连续生产装置和制氮装置生产用电负荷、消防用电负荷应为二级负荷,其他用电负荷应为三级负荷。过程控制系统和工艺有特殊要求的电动阀门、仪表控制电源,应设置不间断电源供电。

8.2.2 工厂的电源应由电力系统两回路供电,每回路应能满足工厂连续性生产负荷和其他重要负荷的用电。

8.2.3 工厂的配变电所宜采用分段单母线接线。

8.2.4 变电所应装设两台及以上配电变压器,当其中一台变压器断开时,其余变压器的容量应能满足工厂全部二级负荷的用电。

8.2.5 固相缩聚工厂爆炸危险环境的电气设计,应符合现行国家标准《爆炸危险环境电力装置设计规范》GB 50058 的有关规定。

8.2.6 工厂用电设备的防护等级应根据使用场所的类别确定。

8.2.7 低压配电系统应符合下列规定:

  1 低压配电系统设计时,宜采用干线放射式和分支线放射式系统,当负荷较分散时或辅助性生产用电,可采用链式系统或树干式系统；

2 车间内主生产装置电动机应采用马达控制中心（MCC）方式配电，有调速要求的电动机应采用变频马达控制中心方式配电，工作场所应整洁、无油雾，环境温度宜控制在＋10℃～＋40℃。

8.2.8 厂区供电系统应采取电容器等功率因数补偿措施。

8.2.9 变配电设施应采用高效低耗能变压器。

8.3 照 明

8.3.1 工厂的照明应符合现行国家标准《建筑照明设计标准》GB 50034 的有关规定。

8.3.2 工厂的疏散照明、安全照明、备用照明等应急照明系统，应设置专用的馈电线路供电。

8.3.3 工厂的应急照明系统可选用蓄电池作为备用电源。

8.3.4 工厂爆炸危险环境的照明设计，应符合现行国家标准《爆炸危险环境电力装置设计规范》GB 50058 的有关规定。

8.3.5 照明应采用节能控制方式，灯具应采用高效节能灯具。

8.4 防 雷

8.4.1 固相缩聚工厂的防雷设计应符合下列规定：

1 固相缩聚厂房应划为第三类防雷建筑物；

2 制氮车间和使用联苯和联苯醚混合物作为热媒介质的热媒站，应为第二类防雷建筑物，公用工程厂房应为第三类防雷建筑物。

8.4.2 固相缩聚工厂内变配电所或附设变压器高、低压侧母线上，避雷器或浪涌保护器的设置，应符合现行国家标准《建筑物防雷设计规范》GB 50057 的有关规定。顶层金属设备外壳和管道应有 2 处与接闪带可靠连接。

8.4.3 工厂建（构）筑物的防雷设计，应符合现行国家标准《建筑物防雷设计规范》GB 50057 和《建筑物电子信息系统防雷技术规范》GB 50343的有关规定。

8.5 接　　地

8.5.1 固相缩聚工厂的功能性接地、保护性接地、防静电接地、防雷接地、等电位连接等接地系统,宜共用同一接地装置。共用接地装置的接地电阻应按50Hz电气装置的接地电阻确定,不应大于按人身安全所确定的接地电阻值。

8.5.2 工厂的爆炸危险环境必须采取静电防护措施。

8.5.3 静电防护措施应符合现行国家标准《防止静电事故通用导则》GB 12158的有关规定。

8.6 火 灾 报 警

8.6.1 固相缩聚生产装置火灾自动报警系统的设置,应符合现行国家标准《建筑设计防火规范》GB 50016和《纺织工程设计防火规范》GB 50565的有关规定。

8.6.2 保护对象应按现行国家标准《火灾自动报警系统设计规范》GB 50116的有关规定进行分级和设计火灾自动报警系统。

8.6.3 固相缩聚工厂火灾自动报警与联动系统的设计,应符合现行国家标准《建筑设计防火规范》GB 50016和《火灾自动报警系统设计规范》GB 50116的有关规定。

8.6.4 爆炸危险环境的火灾报警系统的设计,应符合现行国家标准《爆炸危险环境电力装置设计规范》GB 50058的有关规定。

9 总平面布置

9.1 一般规定

9.1.1 工厂总平面布置应符合现行国家标准《工业企业总平面设计规范》GB 50187 和《纺织工程设计防火规范》GB 50565 的有关规定。

9.1.2 厂址应符合区域规划或地区总体规划要求,宜布置在居住区全年最小频率风向的上风侧。

9.1.3 厂区总平面布置应因地制宜、节约用地、合理布置。

9.1.4 厂区总平面布置应满足生产工艺流程的要求,功能分区应明确、合理,并应根据消防要求等因素确定通道宽度。功能相近的建筑物和构筑物宜采用联合布置。

9.1.5 厂区总平面布置宜根据工厂远期发展规划的需要留有发展余地。

9.2 总平面布置

9.2.1 与上游聚酯装置或下游加工装置合建的固相缩聚工厂,固相缩聚装置宜靠近聚酯生产厂房或下游加工工厂生产厂房。

9.2.2 厂区热媒站宜布置在厂区全年最小频率风向的上风侧。

9.2.3 开关站宜结合进线方向且靠近负荷中心布置。

9.2.4 厂区总平面布置应合理组织人流与货流。厂区出入口不应少于2个,并宜人、货分流。

9.2.5 厂区通道宽度应根据建筑物或构筑物的防火间距、消防车道、货物运输与装卸、地上与地下工程管线、大型设备吊装与检修、挡土墙与护坡,以及厂区绿化等要求合理确定。

9.2.6 厂区道路宜为城市型、环状布置,应符合现行国家标准《纺织工程设计防火规范》GB 50565有关消防车道的规定。道路的路面结构、道路宽度、道路纵坡及路口转弯半径等,均应满足所使用车辆的行驶要求。

9.2.7 仓库区域宜设置装卸区。

9.3 竖向布置

9.3.1 厂区竖向布置应满足生产、运输、装卸及管线敷设时对层高的要求。

9.3.2 厂区竖向布置应满足该地区防洪标准及防涝的要求,应保证厂区雨水及时排出。

9.3.3 厂区竖向布置宜采用平坡式,场地平整宜采用连续式。在山区建厂或场地自然地形坡度大于2%时,可采用阶梯式布置。

9.3.4 厂内道路设计标高应与厂外道路相适应,并应合理衔接,厂区出入口道路宜高于厂外道路。

9.3.5 厂区内场地平整标高应根据防洪、防涝、厂外道路与场地现有标高、减少土(石)方工程量,以及挖填基本平衡等确定。

10 建筑、结构

10.1 一般规定

10.1.1 建筑、结构设计应满足生产工艺要求,并应符合现行国家标准《纺织工程设计防火规范》GB 50565 的有关规定。

10.1.2 建筑、结构设计应采用成熟可靠的新材料、新技术,且应满足所在地区建设及节能等方面的要求。

10.2 生产厂房

10.2.1 生产厂房的平面设计应符合生产工艺的要求,体型宜简单、规整、紧凑,且应充分利用空间合理布置。立面设计宜简洁,并应避免错层、减少层高的种类。

10.2.2 生产厂房可采用敞开式、半敞开式及封闭式建筑。

10.2.3 生产厂房与辅助生产设施宜紧凑布置,或组成联合厂房。

10.2.4 生产厂房宜充分利用自然光,天然采光设计宜符合现行国家标准《建筑采光设计标准》GB 50033 的有关规定。

10.2.5 生产厂房结构型式宜采用现浇钢筋混凝土框架—抗震墙结构,也可采用钢筋混凝土框架、钢框架—中心(或偏心)支撑体系。并应符合下列规定:

　　1 当采用现浇钢筋混凝土框架—抗震墙结构时,抗震墙宜在建筑物周边均匀双向布置;

　　2 当采用框架—抗震墙结构时,抗震墙宜沿建筑物全高布置,且抗震墙均应设置暗柱,与抗震墙相连的框架梁应保留;

　　3 当采用钢框架—中心(或偏心)支撑体系时,应加强厂房短向的支撑刚度及楼板刚度,并应进行整体动力计算;

　　4 生产厂房建筑结构的安全等级应为二级,建筑抗震设防类别宜为标准设防类,地基基础设计等级宜为乙级。

10.2.6 生产厂房的设备荷载应按设备条件确定,并应依据动荷载的影响进行计算。楼面安装、维修荷载的数值及范围应与重型设备的运输路线相适应。计算非设备区楼面等效均布活荷载时,主梁可按 5.0kN/m² 计算,板及次梁可按 8.0kN/m² 计算。

10.2.7 预结晶器、结晶器设备宜采取隔振措施,并应按当量静荷载设计,也可根据预结晶器、结晶器对基础下结构构件的影响,设备厂家提供的相关数据,进行局部楼盖抗微振设计。

10.2.8 结构计算应采用计算楼板开洞对整体刚度影响的结构计算分析软件进行计算。

10.2.9 生产厂房屋面防水等级宜为Ⅰ级。

10.2.10 高层厂房宜采用推拉窗。

10.2.11 瓶片装置的包装间地面应采用易于清洁、耐压及耐磨材料。

10.3 生产厂房附房

10.3.1 房间长度大于 7.0m 的高、低压配电室,应在两端各设 1 个出口。

10.3.2 房间长度大于 15.0m 的控制室,应在两端各设 1 个出口,楼地面宜采用抗静电架空地板。

10.4 厂 区 工 程

10.4.1 厂区辅助生产设施可根据生产性质合并设置。

10.4.2 厂区辅助生产设施的平面设计应符合设施功能要求。

10.4.3 原料及成品仓库宜有良好的自然通风与采光。原料库、成品库及备品备件库计算面积利用系数可为 0.5~0.6。仓库高度应满足货物堆高和叉车装卸、运输要求;仓库地面应采用易于清洁及耐压、耐磨的材料,外门应满足通行运输车辆的要求,并应便于管理。

10.4.4 燃煤热媒站厂房可采用敞开或半敞开式钢结构,也可采用钢筋混凝土排架结构,燃油(燃气)热媒站可露天布置。

10.5 建筑防火

10.5.1 固相缩聚生产的火灾危险性应为丙类,原料仓库和成品仓库储存物品的火灾危险性应为丙类。高层生产厂房的耐火等级应为一级。

10.5.2 固相缩聚生产厂房、附房及全部辅助生产设施的建筑防火设计,均应符合现行国家标准《纺织工程设计防火规范》GB 50565 的有关规定。

10.5.3 固相缩聚生产厂房的安全疏散,应符合现行国家标准《纺织工程设计防火规范》GB 50565 的有关规定。

10.5.4 设在生产厂房内的热媒间应靠外墙布置,并应与生产厂房其他部分用耐火极限不低于 2.50h 的不燃烧体隔墙和耐火极限不低于 1.50h 的楼板隔开,隔墙上的门应为甲级防火门。

11 给 水 排 水

11.1 一 般 规 定

11.1.1 固相缩聚工厂给水排水设计应满足工厂生产、消防和生活的要求。

11.1.2 厂区给水排水管道的平面布置与埋深,应根据工厂地形、总平面布置、给排水负荷、土壤冰冻深度、工程地质、管道材质及管道交叉、施工条件等因素确定。

11.2 给 水

11.2.1 固相缩聚工厂的生活用水应按现行国家标准《建筑给水排水设计规范》GB 50015 的规定经计算后确定。

11.2.2 全厂工业用水量应按生产用水量、循环冷却水和制冷水的补充水量、公用设施用水量经综合计算后确定。工业用水量小时变化系数可按 1.5~2.5 计算。

11.2.3 室内生产、消防和生活给水管道宜明敷。当给水管道与蒸汽管道、电缆桥架上下平行敷设时,给水管道宜布置在蒸汽管道和电缆桥架的下方。

11.2.4 给水管道不应穿过设备基础和柱基础。

11.2.5 给水管道不宜穿过建筑物的伸缩缝、沉降缝和变形缝,如需穿过时,应采取控制补偿管道伸缩和剪切变形的措施。

11.2.6 非金属给水管道不宜穿过防火墙,如需穿过时,应采取防火隔断措施。

11.2.7 给水管道不应穿越配电室、控制室等房间,且不应在生产设备、配电柜上方通过。

11.3 排　　水

11.3.1 排水系统应采用生活、生产废水与雨水分流。

11.3.2 车间、办公等生活污水、废水排水量计算，应按现行国家标准《建筑给水排水设计规范》GB 50015 的规定执行。

11.3.3 生产废水排水量应根据生产用水量进行计算，生产废水的小时变化系数可为 1.5～2.5。

11.3.4 固相缩聚装置的氮气干燥器排水及其他废水在排入受纳水体或纳污管网前，应经过处理，且应达到国家有关废水排放标准。

11.3.5 粪便污水、含油废水、锅炉冲渣废水等，宜单独进行预处理后再排入厂区废水管道。

11.3.6 雨水排水量应根据工厂所在地降雨资料、径流等状况通过计算确定。

11.3.7 排水管不应穿过设备基础和柱基础。

11.3.8 排水管不宜穿过建筑物的伸缩缝、沉降缝和变形缝，如需穿过时，应采取相应的防止管道损坏的技术措施。

11.3.9 排水管不应穿越配电室、控制室。

11.4 消防设施

11.4.1 固相缩聚工厂应设置室内、室外消火栓给水系统。消防给水设施的设置范围、用水量以及安装等，应符合现行国家标准《纺织工程设计防火规范》GB 50565 的有关规定。

11.4.2 丙类原料库、成品库等需设置自动喷水灭火系统的场所，应符合现行国家标准《自动喷水灭火系统设计规范》GB 50084 和《纺织工程设计防火规范》GB 50565 的有关规定。

11.4.3 建筑物和构筑物的各层及各房间的灭火器配置，应符合现行国家标准《建筑灭火器配置设计规范》GB 50140 的有关规定。

12 采暖、通风和空气调节

12.1 一般规定

12.1.1 采暖、通风和空气调节设计除应执行本规范的有关规定外,尚应符合现行国家标准《工业建筑供暖通风与空气调节设计规范》GB 50019 的有关规定。

12.1.2 生产厂房的防烟、排烟设计,应符合现行国家标准《纺织工程设计防火规范》GB 50565 的有关规定。

12.2 采 暖

12.2.1 工厂累年日平均气温稳定低于或等于5℃的天数大于或等于90天的地区,生产厂房应采用集中采暖。

12.2.2 寒冷及严寒地区车间及附房应设置值班采暖,值班室和更衣室室温不应低于16℃,集中采暖的动力站室内温度不应低于5℃。

12.2.3 采暖宜采用热水做热媒。当具有余热利用条件时,应优先利用生产余热。

12.2.4 采暖管道应计算其热膨胀。当利用管段的自然补偿不能满足要求时,应设置补偿器。

12.3 通 风

12.3.1 生产厂房应有良好的通风,并应符合下列规定:

  1 当气象条件和生产工艺允许时,厂房可采用敞开式、半敞开式,且应优先采用自然通风;

  2 当不具备自然通风条件或室内空气达不到通风要求时,应采用机械通风;

3 严寒、寒冷地区的封闭式厂房应采用机械通风,并应设置空气加热器。

12.3.2 封闭式热媒加热炉间应设置机械通风。

12.3.3 排风口不应布置在人员经常停留或经常通行的地点以及邻近窗、房门等位置,且应远离通风、空调系统的进风口。

12.3.4 通风设备的选择与布置应符合现行国家标准《工业建筑供暖通风与空气调节设计规范》GB 50019 的规定。

12.3.5 动力站应设置通风设施。

12.4 空 气 调 节

12.4.1 控制室、MCC 室和化验室应设置空气调节,室内空气温、湿度参数应满足设备、操作和分析检验的要求。

12.4.2 空调房间应设置新风系统,新风量应按每人不小于 $30m^3/h$ 或保持空调房间空气压力所需新风量确定。

13 动　　力

13.1 一　般　规　定

13.1.1 厂区宜设置综合动力站,动力站宜靠近负荷中心。

13.1.2 锅炉房和热力站的设置,应符合现行国家标准《锅炉房设计规范》GB 50041 的有关规定;压缩空气系统的设计应符合现行国家标准《压缩空气站设计规范》GB 50029 的有关规定。

13.1.3 热媒加热炉、锅炉烟气排放浓度,应符合现行国家标准《锅炉大气污染物排放标准》GB 13271,以及工厂所在地政府部门关于烟尘排放的有关规定。

13.2 制　　冷

13.2.1 制冷机组应集中设置,并宜采用集中监控系统。

13.2.2 制冷设备选型、单台制冷能力及台数,应能满足冷负荷变化的需要和节能要求。

13.2.3 冷冻水管道的绝热厚度的计算,应符合现行国家标准《工业设备及管道绝热工程设计规范》GB 50264 的有关规定。

13.3 供　　热

13.3.1 热负荷应根据生产、空调、采暖及生活所需最大热负荷、管网热损失和同时使用系数等因素计算确定。

13.3.2 生产、空调、采暖和生活的供汽管道应分别单独设置。各部门供汽管道上应设置计量装置。

13.3.3 供热管道应进行应力分析计算,且应符合现行国家标准《工业金属管道设计规范》GB 50316 的有关规定。

13.3.4 供热管道保温层厚度的计算,应符合现行国家标准《工业设备及管道绝热工程设计规范》GB 50264 的有关规定。

13.4 压缩空气

13.4.1 压缩空气系统耗气量应包括用户用气量、自身用气量、管网损耗量及制氮用气量。

13.4.2 生产装置用压缩空气规格应符合工艺要求及现行国家标准《压缩空气 第 1 部分:污染物净化等级》GB/T 13277.1 的有关规定;仪表用压缩空气规格应符合现行国家标准《工业自动化仪表气源压力范围和质量》GB/T 4830 的有关规定。

13.4.3 供气管路宜架空敷设。管路敷设应避开腐蚀区域、高温管线、工艺设备和管线的物料排放口等环境。

13.4.4 供气干管上应设置计量装置。

13.5 氮 气

13.5.1 普通氮气可采用变压吸附工艺提供氮气,制氮设备宜靠近压缩空气站供应系统设置。

13.5.2 制氮设备应与上游或下游装置合并建设。

13.5.3 制氮设备应根据工艺要求配置。

13.5.4 高纯度氮气可采用液氮供应系统。

本规范用词说明

1 为便于在执行本规范条文时区别对待,对要求严格程度不同的用词说明如下:
　　1)表示很严格,非这样做不可的:
　　　正面词采用"必须",反面词采用"严禁";
　　2)表示严格,在正常情况下均应这样做的:
　　　正面词采用"应",反面词采用"不应"或"不得";
　　3)表示允许稍有选择,在条件许可时首先应这样做的:
　　　正面词采用"宜",反面词采用"不宜";
　　4)表示有选择,在一定条件下可以这样做的,采用"可"。
2 条文中指明应按其他有关标准执行的写法为:"应符合……的规定"或"应按……执行"。

引用标准名录

《建筑给水排水设计规范》GB 50015
《建筑设计防火规范》GB 50016
《工业建筑供暖通风与空气调节设计规范》GB 50019
《压缩空气站设计规范》GB 50029
《建筑采光设计标准》GB 50033
《建筑照明设计标准》GB 50034
《锅炉房设计规范》GB 50041
《建筑物防雷设计规范》GB 50057
《爆炸危险环境电力装置设计规范》GB 50058
《自动喷水灭火系统设计规范》GB 50084
《火灾自动报警系统设计规范》GB 50116
《建筑灭火器配置设计规范》GB 50140
《石油化工企业设计防火规范》GB 50160
《氢气站设计规范》GB 50177
《工业金属管道工程施工质量验收规范》GB 50184
《工业企业总平面设计规范》GB 50187
《工业金属管道工程施工规范》GB 50235
《现场设备、工业管道焊接工程施工规范》GB 50236
《工业设备及管道绝热工程设计规范》GB 50264
《工业金属管道设计规范》GB 50316
《建筑物电子信息系统防雷技术规范》GB 50343
《聚酯工厂设计规范》GB 50492
《纺织工程设计防火规范》GB 50565
《现场设备、工业管道焊接工程施工质量验收规范》GB 50683

《低压流体输送用焊接钢管》GB/T 3091
《金属熔化焊焊接接头射线照相》GB/T 3323
《工业自动化仪表气源压力范围和质量》GB/T 4830
《工业管道的基本识别色、识别符号和安全标识》GB 7231
《输送流体用无缝钢管》GB/T 8163
《防止静电事故通用导则》GB 12158
《流体输送用不锈钢焊接钢管》GB/T 12771
《金属波纹管膨胀节通用技术条件》GB/T 12777
《食品容器及包装材料用聚对苯二甲酸乙二醇酯树脂卫生标准》GB 13114
《锅炉大气污染物排放标准》GB 13271
《压缩空气 第1部分:污染物净化等级》GB/T 13277.1
《纤维级聚酯切片(PET)试验方法》GB/T 14190
《流体输送用不锈钢无缝钢管》GB/T 14976
《有机热载体炉》GB/T 17410
《瓶用聚对苯二甲酸乙二醇酯(PET)树脂》GB 17931
《再生聚酯(PET)瓶片》FZ/T 51008
《仪表系统接地设计规定》HG/T 20513
《承压设备无损检测》NB/T 47013
《石油化工生产建筑设计规范》SH/T 3017
《石油化工企业工艺装置管径选择导则》SH/T 3035
《石油化工管道设计器材选用规范》SH/T 3059

中华人民共和国国家标准

固相缩聚工厂设计规范

GB 51115-2015

条文说明

制 订 说 明

《固相缩聚工厂设计规范》GB 51115—2015，经住房城乡建设部2015年8月27日以第891号公告批准发布。

为便于广大设计、施工、科研、学校等单位有关人员在使用本规范时能正确理解和执行条文规定，《固相缩聚工厂设计规范》编制组按章、节、条顺序编制了本规范的条文说明，对条文规定的目的、依据以及执行中需注意的有关事项进行了说明，并着重对强制性条文的强制性理由作了解释。但是，本条文说明不具备与标准正文同等的法律效力，仅供使用者作为理解和把握规范规定的参考。

目 次

1 总 则 ……………………………………………… (45)
3 工艺设计 …………………………………………… (46)
　3.1 一般规定 ……………………………………… (46)
　3.2 工艺流程选择 ………………………………… (48)
　3.3 工艺计算 ……………………………………… (50)
　3.4 节能 …………………………………………… (51)
　3.5 危险和危害因素 ……………………………… (51)
4 工艺设备和布置 …………………………………… (53)
　4.2 设备选择 ……………………………………… (53)
　4.3 设备备台 ……………………………………… (54)
　4.4 设备布置 ……………………………………… (54)
5 管道设计 …………………………………………… (57)
　5.1 一般规定 ……………………………………… (57)
　5.2 管道布置 ……………………………………… (57)
　5.4 特殊管道设计 ………………………………… (58)
　5.5 管道安装及检验要求 ………………………… (59)
6 辅助生产设施 ……………………………………… (60)
　6.1 化验室 ………………………………………… (60)
　6.2 热媒站(间) …………………………………… (61)
7 自动控制和仪表 …………………………………… (62)
　7.1 一般规定 ……………………………………… (62)
　7.2 控制水平 ……………………………………… (62)
　7.4 特殊仪表选型 ………………………………… (62)
　7.5 控制系统配置 ………………………………… (62)

7.6 控制室	(63)
7.7 仪表安全措施	(63)
8 电　　气	(64)
8.2 供配电	(64)
8.3 照明	(64)
8.5 接地	(64)
8.6 火灾报警	(65)
9 总平面布置	(66)
9.1 一般规定	(66)
9.2 总平面布置	(66)
9.3 竖向布置	(67)
10 建筑、结构	(68)
10.1 一般规定	(68)
10.2 生产厂房	(68)
10.4 厂区工程	(68)
10.5 建筑防火	(68)
11 给水排水	(69)
11.1 一般规定	(69)
11.2 给水	(69)
11.3 排水	(69)
11.4 消防设施	(69)
12 采暖、通风和空气调节	(70)
12.1 一般规定	(70)
12.3 通风	(70)

1 总 则

1.0.1 本条明确制定本规范的目的。

1.0.2 固相缩聚是自 20 世纪 60 年代末发展起来的一种新的缩聚方法,是采用固态的聚合物在熔点以下温度进行的缩聚反应,扩散速率很小,反应条件缓和,避免了许多在高温熔融缩聚反应下产生的副反应,可获得较高分子量的产品,供特殊要求的塑料瓶、工业丝、工程塑料、薄膜等使用。目前国内以聚酯(PET)行业应用最为广泛。

  固相缩聚工厂的总体设计应结合工厂远景发展目标和总体规划,力求功能分区明确、分步实施、避免交叉。但是,目前国内许多已建成的聚酯和纺丝厂,为提高企业的市场竞争能力,只能以改建或扩建固相缩聚装置的方式开发产品品种,增加经济效益。

1.0.3 本条规定了固相缩聚工厂(装置)应遵守的设计原则。

1.0.4 本条的规定是为了明确本规范与相关标准之间的关系。我国现行工程建设标准数量多、覆盖的专业面广,同一专业也有不少标准,本规范重点突出了专业特殊性要求,不可能涵盖所有的其他标准的规定,故在执行时遇到专业设计的通则要求时,还应按其他的相关标准执行。

3 工艺设计

3.1 一般规定

3.1.1 本条规定了固相缩聚工厂的工艺设计界定范围。由于固相缩聚产品用途众多,技术来源各不相同,其生产工艺设备配置要求也不尽相同。因此,固相缩聚工厂设计宜按工艺实际需要增减其内部工序。

3.1.2 固相缩聚生产中产生的"三废"一般为热媒中的低沸物、少量低聚物、少量粉末和排气中极微量的乙二醇、乙醛等。

3.1.3 目前国内外固相缩聚装置都是采用按"t/d"计算装置生产能力。

3.1.5 根据目前国内固相缩聚工厂的设备性能,以及实际运行状况,年生产天数可达到350d/a。同时,其上游聚酯装置和下游工业丝纺丝装置的相关规范规定的年生产天数也为350d。因此,本规范确定固相缩聚装置设计年生产时间宜按350d计算。

3.1.6 由于国内固相缩聚工厂大多与聚酯工厂或涤纶工业丝工厂建设在同一厂区内,而固相缩聚工厂分析化验项目与聚酯工厂或涤纶工业丝工厂的分析化验项目相近,因此,应合并建设以节省人力和物力。

3.1.7 聚酯装置和固相缩聚装置都使用液相热媒作为加热源,且温度也相近,合并建设有利于减少设备投资和占地面积,节约能源,方便管理,而工业丝装置通常使用的是气相热媒,因此,宜各自单独设置热媒站。

3.1.8 本条规定的目的主要是防止设备和管道产生锈蚀而影响产品质量。

3.1.9 由于固相缩聚装置楼层较高,设置货运电梯是方便运送维修设施、消防设施和收集的切片粉尘。

3.1.10 进行防锈处理主要是为了保证操作人员的安全。

3.1.11 如果雨水或寒冷气流直接作用于切片经过的设备及管道表面,将造成相关设备及管道的温度波动,从而对产品的质量均匀性造成影响。因此,固相缩聚装置的绝热措施或防护结构应能保证设备的温度波动尽可能小。

3.1.12 本条规定是为了确保在不正常条件下可能超压的加热器、反应器、过滤器、换热器设备和管道系统不存在危险和隐患。

3.1.13 大功率风机运行过程中振动较大,会给建筑结构带来安全隐患。

3.1.14 本条规定是为了保证产品质量的均匀性。

3.1.15 固相缩聚的液相热媒加热循环系统运行时,由于热媒在升温过程中密度变化较大,需在系统最高点设置膨胀槽来解决热媒升温时其体积膨胀和整个系统的平衡以及排水、排汽、添加新鲜热媒等的需要。

热媒在升温、脱水、脱气结束后,应往热媒膨胀槽注入氮气,构成系统内的密闭状态,防止高温热媒因接触空气而氧化,另外,施加一定压力可保持液相运行。

3.1.16 本条为强制性条文,制定本条有利于环境保护。

目前国内某些工厂已采用水或EG喷淋及活性炭吸附方法除去废气中的乙二醇、乙醛等小分子物质后再排放,以净化环境。国外某公司利用聚合反应后的回收乙二醇,通过喷淋洗塔进行净化后输送到聚酯生产线回用,估算回收率为1.5kg/t(600t/d规模的工厂,每天可回收EG0.9t),且最终的固相缩聚产品色泽要比氮气催化氧化法好。

按照现行国家标准《大气污染物综合排放标准》GB 16297的规定:新建项目乙醛无组织排放监控浓度应低于40ppm;改、扩建项目乙醛排放量应低于50ppm。

3.1.17 本条规定是为了保证紧急状态下的设备和人员安全。

3.1.18 本条规定是为了保证产品质量。

3.2 工艺流程选择

3.2.2 连续固相缩聚装置增黏的切片特性黏度均匀,生产效率高,有利于自动控制,但变换切片黏度的灵活性较差,过渡料不合格切片较多,更适合大规模常规产品的生产。

3.2.3 间歇固相缩聚装置变换切片特性黏度的灵活性较大,操作方便,设备简单,投资少,但批次之间切片的特性黏度容易产生差异,适合中小规模生产,特别是一些特殊品种的生产。

目前特殊品种工业丝切片、膜级切片的生产,一般采用间歇固相缩聚装置。

3.2.4 聚酯切片在低于170℃左右时缩聚反应基本停止,但由于切片内外温差不同,检测温度并不能反映切片内部的温度。同时,切片温度较高将导致输送气体的温度升高,不利于输送设备的长期稳定运行,且需增加冷却热氮气的冷量,因此,出固相缩聚装置的切片温度不宜超过130℃;而需包装的切片由于包装袋内的塑料内衬在温度超过60℃时强度会急剧下降,因此,需包装的切片应冷却到60℃以下。

3.2.5 由于切片附着的粉尘经固相缩聚后具有较高的黏度和熔点,加工性差,使切片性能产生差异,影响注塑和纺丝的挤出过程。特别是基础切片粉尘含量较高时更易影响产品质量。因此,设置切片粉尘脱除装置有利于保证切片质量,同时,也有利于降低预结晶的除尘负荷。

3.2.6 设置分析仪器是为了确认循环氮气的质量符合工艺要求,以保证固相缩聚切片的质量。

聚酯切片缩聚反应的主要副产物有乙醛和乙二醇等小分子有机物,被氮气流带到催化床与氧气反应。主要反应式如下:

(1)除乙醛的反应式:

$$C_2H_4O + \frac{5}{2}O_2 \longrightarrow 2CO_2 + 2H_2O(充分反应)$$

$$C_2H_4O + 2O_2 \longrightarrow CO_2 + 2H_2O + CO(不充分反应)$$

（2）除乙二醇的反应式：

$$C_2H_6O_2 + \frac{5}{2}O_2 \longrightarrow 2CO_2 + 3H_2O(充分反应)$$

$$C_2H_6O_2 + 2O_2 \longrightarrow CO_2 + 3H_2O + CO(不充分反应)$$

当氧气量不足时，就会反应不充分，产生CO，因此应设置CO分析仪，以监控氧化反应是否完全。一般CO含量应低于20ppm。

而氧含量过高，切片的b值会有上升，因此瓶片生产系统的氧含量应低于20ppm。对于工业丝用SSP切片，氧含量可放宽到不大于50ppm。

循环氮气工作压力下的露点一般要求低于或等于－40℃。

3.2.7 由于连续固相缩聚装置产能及建设规模相差很大，大型装置或集中建设的装置应采用燃油或燃煤的热媒炉加热热媒方式，而对于产能较小的工业丝装置，可采用电加热的方式。

液相热媒主要用于加热流量大、温度高的循环氮气，而电加热主要用于加热流量小、温度低的气体以及高温的催化反应器。由于各反应器温度不同，或同一反应器各段温度不同，采用热媒加热的方式可灵活调节不同的加热温度，便于温度控制。

3.2.8 由于间歇固相缩聚装置用能较小，热媒采用电加热方式有利于设备的布置并方便操作。

3.2.9 催化氧化法能基本除去循环氮气中带出的乙二醇、乙醛等物质，不会释放对环境有害的气体；而采用分子筛吸附工艺，再生解吸的气体中含有乙二醇、乙醛等物质，这些气体排放到大气中将会对环境造成污染。同时，对再生解吸的气体进行处理也比较困难。

3.2.10 由于连续固相缩聚装置的氮气循环系统大多采用催化氧化工艺，生产过程中还需补充氧气帮助催化燃烧，因此，正常生产时采用纯度大于或等于99.5%的粗氮供应即能满足生产操作。但在装置开停车时，循环氮气中没有低分子燃烧耗氧，为保证产品质量，应采用氧含量小于20ppm的精氮。因此，设置液氮气化装置是公用工程只提供粗氮的工厂可以采取的较好的方式。

氨分解制氢是以液氨为原料,经汽化后将氨气加热至800℃～850℃,在镍基催化剂作用下,脱除混合气中的残余氨和水分后,得到75%的氢气和25%的氮气。而氨分解制氢除氧的氮气纯化工艺,由于需要使用液氨和产生氢气,易积聚形成爆炸性气体环境,危险性较高。因此,相关设备的布置应满足必要的安全距离和良好的通风要求。

3.2.11 由于螺旋推进式结晶器、预热器或带搅拌式结晶器,以及反应器带的旋转刮板出料器容易产生粉尘,而含较多粉尘的切片不利于保证下游产品的质量,因此,反应器出料切片应经过冷却除尘器除去粉尘后再输送到下游料仓,此除尘器的除尘量约占总粉尘的50%以上。

3.2.12 由于固相缩聚装置出来的切片有一定温度,有的高达120℃。热切片遇微量水分、氧气等很容易降解,从而影响工业丝的强度和色泽。过去有采用干空气作为输送介质的工厂,但干空气的露点必须在－70℃以下,而且一次性使用成本也很高。因此,许多过去采用干空气作为输送介质的涤纶工业丝厂,都重新改用氮气作为输送介质,采用闭路循环系统以降低运行成本。

3.2.13 由于工业丝生产时螺杆前后无熔体过滤器,在切片进料前设置金属检测器有利于保护螺杆和计量泵,防止金属物损坏螺杆和计量泵。

3.3 工 艺 计 算

3.3.3 目前国内连续固相缩聚装置的基础切片消耗差异较大。故障率或故障大小不同,生产的切片黏度不同,都会影响基础切片的消耗量。国内装置运行好时的消耗每吨产品低于0.5kg(干基),运行不好时的消耗每吨产品超过5kg。根据目前国内各企业的生产实际,本指标取其平均值作为指标。

目前35t/d以上涤纶工业丝固相缩聚生产线的公用工程耗量

可以做到：

电耗：300kW·h/吨产品；压缩空气：260Nm^3/吨产品；冷却水：26m^3/吨产品；氮气：90Nm^3/吨产品。

3.3.5 由于条文中所列管道温度较高,因此,应保证管道的应力在标准规范允许的范围内,避免因热应力过大和反应器的热位移造成设备和管道的损坏。

3.4 节　　能

3.4.2 充分利用循环氮气从反应器内带出的热量用于加热其他需预热的介质可以节约能量。

3.4.3 所有供热、供冷管道和设备都应进行保温和保冷设计,以减少热量和冷量的损失。

3.4.4 缩短切片的运输距离可减少能量消耗。

3.4.5 循环风机功率较大,当生产负荷降低时,通过变频器降低风机的输出功率可达到节能的目的。如果风机不带变频,则需要安装一个出口蝶阀来调节风量,这样会浪费大量的电能,是不合理的。旋转阀因需要控制送料速度,应采取变频驱动,以调节送料速度。

3.4.6 主要能源供给设施应靠近负荷中心,以减少能量损耗。

3.4.7 电感加热比电阻加热的节电量在30%左右,节能效果显著。

3.5 危险和危害因素

3.5.1、3.5.2 这两条是根据现行国家标准《纺织工程设计防火规范》GB 50565中纺织工业生产的火灾危险性分类规定确定的。

氢气是易燃易爆气体,爆炸范围宽、点火能量低,比重又小,极易扩散。因此,实瓶数不超过60的氢气瓶放置间设计,应符合现行国家标准《氢气站设计规范》GB 50177中对供氢站的建筑、结构、通风、照明、防雷、防爆的相关设计要求,且氢气钢瓶储存、运输中需有防止瓶倒的安全措施。

3.5.3 本条是依据固相缩聚工厂生产中表1主要物料的理化和燃烧、爆炸数据及组分浓度、数量等因素,按照现行国家标准《建筑设计防火规范》GB 50016中生产的火灾危险性分类相关规定进行划分的。

表1 主要物料的理化和燃烧、爆炸数据

序号	介质名称	理化性质			燃烧、爆炸数据		
		熔点(℃)	沸点(℃)	闪点(℃)	相对空气密度	引燃温度(℃)	爆炸下限(%)
1	对苯二甲酸	>384	—	—	—	678	0.05g/L
2	乙二醇	−16	197	111	2.14	432	3.2
3	联苯、联苯醚	—	257	124	7.98	612	0.5
4	氢化三联苯	—	359	184	—	374	
5	乙醛	−123	20.8	−39	1.52	175	4.0
6	聚酯	255~265	—	—	—	—	—
7	燃料油	—	—	>55	—	220~300	0.7
8	间苯二甲酸	330	—	—	—	700	0.035g/L
9	氢气	−259.2	−252.8	—	0.0695	574	4.0

4 工艺设备和布置

4.2 设备选择

4.2.1 因聚酯切片在130℃左右时极易粘结,流化床预结晶器可通过控制气体的风温、风压、风量和停留时间使切片与热风接触均匀,并保证切片能在无粉尘产生前提下有一定的运动防粘力。因此,采用流化床预结晶器既有利于防止切片粘连,也有利于带出切片上附着的粉尘,达到除尘效果。如果预结晶器采用搅拌器形式,有一定的利弊:利是可以降低风量达到节能的目的,弊是搅拌会产生粉尘。目前国内新建的SSP装置都不采用带搅拌器的预结晶器形式。

螺旋推进式结晶器节能效果较好,比沸腾床结晶器能耗低,其产生的粉尘在工业丝生产中也在可控范围内。

4.2.2 由于聚酯瓶片聚合时添加了IPA,切片的软化点、玻璃化温度都有降低,结晶速率也降低,因此,一般需采用两级结晶器,以保证有足够的结晶时间和均匀的结晶度,同时也满足切片不粘连、不结块的要求。也有采用将两级结晶器合二为一的形式,前级是沸腾床,后级是流化床。

4.2.3 结晶过程一步完成时,对结晶器结晶效果的要求非常高,如果结晶度或结晶均匀性稍有偏差,就容易造成切片在预热器或固相缩聚反应器中结块。

4.2.4 跳动静态影响和动态架桥现象在聚酯切片SSP反应器中是很普遍的现象,这些现象产生的振动对建筑结构有一定影响,目前还不能完全避免。但应通过优化反应器结构等措施来减轻这种现象的严重程度。同时,应使建筑物结构的强度能足够承受SSP反应器产生的这些静态和动态的冲击。

4.2.5 切片在固相缩聚装置内的停留时间和经过的工况应完全一致,才能保证切片的质量均匀一致。因此,采用卧式预热器时应设置防返混和架桥设施,防止切片因停留时间不一致而引起的质量差异。

4.2.6 本条规定是为了防止切片和粉尘滞留而影响产品质量的均匀性。

4.2.7 本条规定是为了防止渗透性极强的热媒的泄漏。

4.2.9 本条规定是为了保证切片的特性黏度均匀。

4.2.10 设置称重系统可准确显示料位,有利于生产操作。

4.2.12 本条规定是为了防止切片粘附在转鼓内壁和减少粉尘,保证产品质量。

4.2.16 本条规定是为了防止因换热器使用年限的增加而使换热效率下降。

4.3 设备备台

4.3.1 由于固相缩聚装置在开停车和事故状态下产生的切片为等外品或不合格品,应单独储存。

4.3.2 热媒泵由于长时间在高温下连续运转,容易出现故障。因此,采用备台方式可以保证装置在热媒泵发生故障时能连续运行。

4.3.3、4.3.4 这两条规定是为了保证设备出现故障时及时切换。由于目前装置的能力越来越大,SSP装置内的切片量从几十吨到200多吨(产能300t/d的装置内切片持有量约为250t),设备出现事故而需较长时间维修时产生的不合格切片量也非常大。因此,旋转阀、氮气循环风机和螺杆压缩机设置备台有利于保证装置的连续运行。

4.4 设备布置

4.4.1 本条规定有利于缩短输送距离,减少能量消耗。

4.4.4、4.4.5 对于瓶片生产,200t/d规模的SSP装置采用一段式垂直布置时,建筑物顶部高度接近70m,300t/d规模的SSP装置采用两段式垂直布置时,建筑物顶部高度超过50m。因此,为降低建筑物的高度,减少土建投资,同时,也有利于切片的输送,方便操作和管理,300t/d规模及以上的装置应采用两段式布置。

而对于工业丝用和工程塑料用SSP装置,由于产品黏度要求较高,切片在系统中的停留时间较长,60t/d规模的SSP装置(实际产能达到72t/d)采用一段式垂直布置时,建筑物顶部高度接近70m,设备及管道最高处达到72.5m。因此,超过80t/d规模的SSP装置宜采用两段式布置。

国外已推出Easy UP窑式生产法SSP新技术,改变了传统垂直立式布置的SSP物料输送思路,采用微倾斜、旋转式窑式反应器,形成水平布置格局。该工艺大大降低了厂房高度,提高了单线生产能力,但装置占地面积将扩大。由于国内对其了解甚少,且在国外也仅在试验性推广,因此,本规范不涉及该技术。

4.4.6 本条规定主要为减少输送的能耗。

4.4.7 本条规定保证了安全生产和紧急时的撤离。

4.4.8 热媒渗透性极强,且有特殊的气味,属于低毒性物质。为保证操作人员的健康,热媒加热器和输送泵布置区域应通风良好。

4.4.9 由于罗茨风机和螺杆压缩机工作时产生的噪声在100dB左右,对巡检的操作人员健康将产生不利的影响。因此,此类风机宜单独布置在辅房内,以改善工作环境,降低对操作人员健康的影响。

4.4.10 由于反应器重量较重,大型反应器投料重量可达数百吨,为保证设备的稳定性和安全,并有利于运输、安装和检修,反应器应靠近结构主梁及外侧框架布置。

4.4.11 如果用水单元设置在用电设备的正上方,生产过程中如果有水泄漏就会造成电器设备短路乃至损坏。

4.4.12 设备布置应保证设备之间、设备与建筑物之间的间距和净空高度,满足设备的操作、安装和检修要求。同时,设备布置应注意留出塔体搅拌器、电机的起吊、拆卸、检修空间和运输路线,以及换热器、过滤器等的抽出空间,并为工艺管道、吊轨和电气、仪表线桥架等留出合理的安装空间。

5 管 道 设 计

5.1 一 般 规 定

5.1.1 工艺管道和仪表流程图(P&ID)、管道规格书是指导管道设计的基础,管道设计应按照 P&ID 和管道规格书的要求进行。

5.1.3 高温管道应保证必要的柔性,以防止由于热变形而损坏管道或设备接口,造成生产事故及安全隐患。由于现行国家标准《聚酯工厂设计规范》GB 50492 对高温管道的柔性设计提出了许多规定,本规范的高温管道与之类似,因此设计时可参考现行国家标准《聚酯工厂设计规范》GB 50492 的相关规定。

5.1.4 正确确定内压管道壁厚,是保证生产的安全性和经济性的重要措施。

5.1.5 各种导热油都有一个操作时间与温度对应的裂解关系,操作中如果不能及时把低沸点蒸发物定期从系统中排除,会影响它的加热效果。而在装置停车时,为保证安全,需要把每个热媒回路中的热媒排放到热媒储槽中。

5.1.6 设置坡度是为防止物料在管道中积存。在条件允许时,可适当增加坡度。

5.2 管 道 布 置

5.2.1 由于生产车间内除工艺管道外,还有其他专业管道(如给排水管道),以及电气、仪表专业的线槽,因此,应做出合理规划和分层布置,才能满足生产、操作、安装、维修的要求。

5.2.2 管道的法兰和焊接点如果设置在电气、仪表设备或操作柜上方,可能出现由于管道泄漏而影响电气、仪表设备的操作,并可能损坏电气、仪表设备,因此要求避免通过其上空。

5.2.3 高温对电气、仪表的线缆外保护层有加速老化的作用，影响其使用寿命，并可能造成安全隐患，因此制订本条规定。

5.2.6 管道设计应采用"步步高"或者"步步低"的方式，以防止产生气袋或液袋。

5.2.8 管道采用架空或地上布置有利于发现故障和方便检修。

5.4 特殊管道设计

5.4.1 采用铜线跨接主要是为了消除由于输送摩擦而引起的管道静电，保证安全生产。采用大曲率半径弯头主要是减少输送阻力，以及防止堵塞管道。

5.4.2 聚酯切片靠自重出料的出料口管道与垂直方向之间的夹角大于45°，则需要增加振动装置或气体松动装置。

5.4.3 金属波纹管膨胀节设置在设备的进口和出口处，有利于管道的固定和承重。

5.4.4 热媒的渗透性很强，采用波纹管密封阀门有利于减少它的释放系数。

5.4.5 本条是根据现行国家标准《石油化工企业设计防火规范》GB 50160和《工业金属管道设计规范》GB 50316的相关规定制订的。

5.4.6 固相缩聚工厂使用的热媒温度较高，一般在250℃～320℃。为保证热媒管道的使用应力、管架受力和管道对与之连接离心泵管口的推力或力矩都在安全范围内，防止管道应力过大或疲劳引起的管道或支架破坏，以及连接处变形产生泄漏的危险，应进行热媒管道的热应力计算，而利用管道走向的自然补偿是最经济的办法。

5.4.8 对带导流筒的波纹管膨胀节介质流向标记应与管道内介质流动方向一致，以免杂物积聚影响波纹膨胀节的正常工作或在导流筒与波纹管之间产生湍流，引起振动。

5.4.10 安装前应先检查波纹管膨胀节的型号、规格及管道的支座设置等是否符合设计要求。需要进行冷紧的波纹管膨胀节应满足安装长度及额定补偿量要求,其预拉伸与预压缩量均应按设计要求在订货前确定,由工厂在出厂前完成。

5.4.11 现行国家标准《金属波纹管膨胀节通用技术条件》GB/T 12777内容包括:膨胀节的定义、专业术语、分类、标记、设计、试验方法、检验规则、包装、运输、贮存等技术条件。

5.4.12 热媒、切片输送管道的连接型式、弯头、三通、四通、管托、管卡、防震器等均要按设计要求制作。

5.5 管道安装及检验要求

5.5.6 管道安装完毕后经过射线探伤检查和压缩空气试压及空气泄漏性试验,可防止在热媒升温过程中管道中如有残余的水分蒸发,会导致压力急剧上升,引发安全事故。

5.5.8 热媒管道采用氩弧焊打底有利于内焊口成型良好,防止热媒升温后渗漏,减少管道内的焊渣。

6 辅助生产设施

6.1 化验室

6.1.1 化验室靠外墙布置有利于自然通风和排废水,避免阳光直接照射有利于减少眩光对分析的干扰,远离有振动、辐射及发热的设施也是为了防止对分析的干扰。

6.1.2 天平室使用的仪器较精密,需减少外界的干扰,而烘箱间热量散发较大,在条件允许时应单独布置。

6.1.3 天平室使用的精密天平对房间气流的稳定性有较高的要求,因此不应设置外窗。

6.1.4 化验室分析实验需使用一些化学药品,而有的药品或有毒或易挥发或有腐蚀性,为保证操作人员的健康,一些实验应在通风柜里进行操作。

6.1.5 本条规定是为了避免光线干扰。

6.1.6 现行国家标准《瓶用聚对苯二甲酸乙二醇酯(PET)树脂》GB 17931 规定了瓶用切片的特性黏度和端羧基、乙醛、乙二醇含量等分析项目的测试方法、检验规则、使用仪器、包装、运输、贮存等技术条件。

6.1.7 现行国家标准《纤维级聚酯切片(PET)试验方法》GB/T 14190 规定了工业丝级聚酯切片的特性黏度、软化点、羧基、色度、灰分、二氧化钛含量等检测项目的使用仪器和分析方法。

6.1.8 现行行业标准《再生聚酯(PET)瓶片》FZ/T 51008 规定了再生聚酯瓶片的产品分类、试验方法、检验规则等技术要求,适用于以回收的聚对苯二甲酸乙二醇酯为材质经破碎、分离、清洗加工生产的聚酯瓶片。

6.2 热媒站(间)

6.2.1 热媒加热系统在较高温度和一定压力下运转,一旦发生故障或泄漏应有释放的渠道,以避免着火及形成爆炸性气体环境的可能。热媒收集槽的主要作用是回收和突发事件时热媒的临时储存。

热媒收集槽放置在一层或最低位置有利于SSP装置内热媒系统的热媒放净。

6.2.3 紧急排放时,由于规定了整个热媒系统(包括输送泵和管道、阀门及法兰)均有安全措施,所以未将热媒收集槽所处区域列为爆炸性危险环境。

7 自动控制和仪表

7.1 一般规定

7.1.1 自控设计应考虑安全可靠、经济合理、技术先进、操作维护方便几个因素的综合平衡，体现国家提倡的节能降耗、保护环境的基本国策。

7.1.3 在同一工程项目中，尽量减少仪表品种、规格有利于减少仪表的备品备件，减轻维护人员的劳动强度。

7.2 控制水平

7.2.1 过程控制系统(PCS)是分散性控制系统(DCS)、可编程序控制器(PLC)、工业控制计算机的统称。系统选型时应根据过程控制点数多少合理选用。

7.2.2 随机控制单元的主要信号是指运行、停止、故障、公共报警、转速、马达电流、操作控制等信号。

7.4 特殊仪表选型

7.4.1 用于爆炸性危险场所的仪表应根据所确定的危险场所类别以及被测介质的危险程度，选择合适的防爆结构形式或采取防爆措施。

7.5 控制系统配置

7.5.1 按过程检测、控制点数及其复杂程度配置时，操作站数量一般配置如下：

　　50 控制回路或 800 个检测点、报警点以下可配置 2 台；50～150 控制回路或 800 个～1500 个检测点、报警点可配置 3 台～4

台；150～250控制回路或1500个～3000个检测点、报警点可配置4台～6台。

7.6 控 制 室

7.6.1 动力控制中心(MCC)是用于风机电机、回转阀电机和加热器等控制的执行单元。

7.6.5 装置监控信号较多时控制室一般采用防静电架空地板,较少时可采用其他易清洁防滑地面。

7.6.6 控制室架空地板下设置电缆托盘的目的是将电缆分类以减少干扰,便于以后的维护和改、扩建。

7.7 仪表安全措施

7.7.4 重要的安全联锁一般是指生产线的紧急停车,加热器与风机运转的联锁。

7.7.5 冗余的通信电缆采用不同的敷设路径是为了减少机械损坏造成的通信中断。

7.7.6 仪表电缆可分为本安信号电缆、非本安信号电缆(包括48V或48V以下电源电缆)和48V以上电源电缆。

7.7.10 本条为强制性条文。氢气瓶放置间属于有爆炸危险房间。按危险区域划分,氢容器分组为T1,组别第二级,户外温度30℃,压力2500kPa。

氢气分子量小、黏度低,易泄漏和扩散,氢气的泄漏速率约为空气的2倍,比空气扩散快约3.8倍。设置氢气浓度检测报警器可监测氢气瓶放置间内的生产运行状况,保证进入房间操作工人的人身安全。

8 电　　气

8.2 供 配 电

8.2.1 固相缩聚工厂按工艺要求属三班连续性生产,如果中断供电,连续生产过程被打乱,需较长时间才能恢复正常,并将造成产品报废、原材料浪费和减产损失,经济损失较大,本条所列工序属于二级负荷。

8.2.8 通过补偿装置不仅可以提高功率因数,改善供电电网的电能质量,提高变压器的供电能力,而且是节约电能的一项重要措施。

8.3 照　　明

8.3.2 应急照明是在正常照明系统因电源发生故障,不再提供正常照明的情况下,供人员疏散、保障安全或继续工作的照明。应急照明包括备用照明、疏散照明、安全照明三种。现行国家标准《建筑设计防火规范》GB 50016对应急照明的设置位置和应急灯具的照度都作了规定。

专用的馈电线路不能由同一台变压器供电,采用UPS或EPS时,可采用蓄电池作为备用电源,当正常电源断电,备用电源自动投入。

8.3.3 根据现行国家标准《供配电系统设计规范》GB 50052的规定,蓄电池可作为应急电源。当蓄电池作为应急电源技术经济合理时,可选UPS或EPS。当UPS或EPS公网失电时,蓄电池经逆变器供交流电。

8.5 接　　地

8.5.2 本条为强制性条文。固相缩聚工厂生产和切片输送过程中会产生工业静电,由于生产环境中有乙二醇、联苯联苯醚、乙醛等可燃性气体,当通风设备发生故障时,会形成爆炸性气体环境。静电对地放电产生的电弧是引发爆炸的重要诱因之一,因此,本条规定工厂的爆炸危险环境必须采取静电防护措施。

8.6 火 灾 报 警

8.6.1~8.6.4 火灾自动报警系统按现行国家标准《建筑设计防火规范》GB 50016 和《纺织工程设计防火规范》GB 50565 的有关规定设置。具体实施依据现行国家标准《火灾自动报警系统设计规范》GB 50116 的规定,条文中明确了其相互关系。

9 总平面布置

9.1 一般规定

9.1.1 厂区总平面布置防火设计按现行国家标准《纺织工程设计防火规范》GB 50565 的规定,该规范未作规定者按现行国家标准《建筑设计防火规范》GB 50016 和其他国家现行有关设计标准执行。

9.1.2 本条规定是为了尽可能减少固相缩聚工厂产生的烟尘、噪声及其他有害气体对居住区的影响。

9.1.3 节约用地是我国的一项基本国策,本条对此做出原则性规定。本章其他一些条款以及第 10 章某些条款均对节约用地措施的不同层面做出了规定和要求,各工程应因地制宜、合理布置。

9.1.4 总平面布置应首先满足生产工艺流程的要求,并在此基础上采取有效的、综合性的措施,提高土地利用率。

9.1.5 工厂分期建设时,应正确处理近期与远期的关系,一次规划,分期实施,近期集中布置,远期适当预留发展余地。

9.2 总平面布置

9.2.2 热媒站应减少对厂区可能产生的影响。

9.2.4 为满足消防、货物运输、人员进出需要及人、货分流要求,特做此条规定。

9.2.5 通道宽度影响厂区建筑系数,即土地利用率,要根据本条要求,综合考虑,合理确定通道宽度。

9.2.6 除人行道路外,厂区道路的布置均应满足消防车道的要求。

9.2.7 固相缩聚工厂原料及成品运输量较大,仓库区宜设置装卸场地。

9.3 竖向布置

9.3.1 固相缩聚工厂地上及地下工程管线较多,原料及成品运输较频繁,应因地制宜。

9.3.2 防洪与排除雨水是竖向布置的重要内容之一,应根据有关规定,合理确定场地设计标高和场地排水坡度。

9.3.3 为满足车辆运输要求并防止厂内积水,特做此条规定。

9.3.4 平原地区与山区建厂竖向布置侧重点有所不同,应根据实际情况,综合考虑各种因素,合理确定场地设计标高。

10 建筑、结构

10.1 一般规定

10.1.1 固相缩聚工厂防火设计按现行国家标准《纺织工程设计防火规范》GB 50565 的规定执行,该规范未作规定的按现行国家标准《建筑设计防火规范》GB 50016 的规定执行。

10.1.2 目前住建部和各省、市均有节能及推广新产品、新技术等方面的要求,本条做出原则性规定,各建设项目可根据各地情况和具体规定执行。

10.2 生产厂房

10.2.1 本条规定有利于抗震、节能、节地及降低工程造价。

10.2.3 本条规定是为了在固相缩聚工厂建设中尽可能节能、节地及节省投资。布置紧凑有利于工程管线的顺畅、短捷,组成联合厂房是节省用地的有效措施。各工程项目应根据具体情况,合理布置。

10.2.4 本条规定有利于安全生产及节能。

10.4 厂区工程

本节厂区工程系指厂区内单独或合并设置的辅助生产设施。

10.4.1、10.4.2 这两条规定的目的是为了有效节约用地、节约投资及节约能源。

10.5 建筑防火

10.5.4 在同一个防火分区内,生产火灾危险性不同,做有效分隔,分别采取不同的防火措施,有利于安全生产和管理。

11 给水排水

11.1 一般规定

11.1.1 本条确定了给水排水设计应遵循的基本原则,强调了水的综合利用、节约用水、保护环境、节约能源以及先进、合理、安全可靠等要求。

11.2 给 水

11.2.2 本条明确了固相缩聚工艺生产过程中,由于在生产规模、所处地域、环境等方面会存在很大差异,故其间接使用的冷却水、冷冻水等耗量应经计算确定。小时变化系数与工厂规模直接相关,工厂规模大时,小时变化系数可取小值,反之取大值。

11.2.3 明敷管道一般为金属管道,且口径相对较大(如循环水管道),当采用塑料管时,为防撞击和抗老化,可以采用暗敷。

11.3 排 水

11.3.1 本条对工厂排水系统作出要求,即雨、废分流。

11.3.4 固相缩聚装置的氮气干燥器排水中含有微量乙二醇,要进行处理后才能排放。不同的受纳水体或纳污管网对所接受的废水均有规定的标准,排污单位应严格遵守。

11.3.5 粪便废水、含油废水、锅炉冲渣废水的预处理以及废水的有组织汇集工作,可以减少废水后续处理的难度。

11.4 消防设施

11.4.1 现行国家标准《纺织工程设计防火规范》GB 50565 已将固相缩聚厂房设计纳入了纺织工程化学纤维工厂设计中,并对固相缩聚工厂的防火设计有明确的条款规定和详细的解释。

12 采暖、通风和空气调节

12.1 一般规定

12.1.2 固相缩聚生产装置厂房的火灾危险性为丙类,建筑高度一般大于24m,属于高层厂房,其防烟楼梯间及其前室、消防电梯间前室或合用前室的防烟设施应按现行国家标准《建筑设计防火规范》GB 50016 的规定进行设计。

12.3 通 风

12.3.1 固相缩聚生产装置在生产过程中采用大量氮气,一旦发生大量泄漏,如果通风不好,将会造成因氮气窒息引发的人员伤亡事故。同时,生产过程中也会散发出乙醛,乙醛浓度在0.1mg/L～0.4mg/L 时对黏膜有暂时轻度刺激,浓度较高时,可能出现脉搏加快、呼吸困难、剧烈咳嗽、头疼、支气管炎以及肺炎等,因此,生产厂房应有良好的通风设施,将其浓度控制在卫生要求允许的范围以内。

　　严寒、寒冷地区的封闭式厂房采用机械通风,可使室内空气有组织地流动,保证排风效果。

12.3.2 固相缩聚生产装置的热媒通常采用氢化三联苯和联苯联苯醚,对人体有刺激,长时间接触能引起恶心呕吐。热媒加热炉间设置机械通风,可减小热媒在室内的浓度。